U0065464

獻給威爾・葛萊德，伴隨著滿滿的愛——　康娜莉雅・史貝蔓

紀念凱西，牠是有史以來最可愛、最棒的狗狗——　南西・寇特

我好生氣

文 康娜莉雅·史貝蔓　圖 南西·寇特　譯 蔡忠琦

親子天下 Education · Parenting Family Lifestyle

我好生氣，因為有人取笑我。

我好生氣， 因為玩得正高興，

卻要停下來整理房間。

我好生氣，因為終於可以去游泳，
卻下雨了。

我好生氣，因為我已經很努力了，
還是畫不好。
乾脆把畫紙揉成一團丟掉。

我好生氣，
因為我明明很乖，
老師卻說我上課說話，
真是太不公平了！

怒氣是一種火辣辣的感覺。

生氣的時候，我想說
難聽的話、大叫、或是打人。
光用想的不會傷害別人，也不會惹麻煩，
如果真的去做，那就糟了。

當我想說難聽的話、大叫，或是打人的時候，其實可以去做別的事。

我可以離開那個讓我生氣的人。

還可以用力吸氣，

再大口吐出來，把怒氣通通吐掉。

我可以跑步、騎腳踏車，
或是做我喜歡的事，

讓自己冷靜下來。

等我覺得好過一些，

就能再快樂起來。

有些會讓我很生氣的事

是不能改變的，像是比賽輸了。

或是我最喜歡的東西壞掉了。

可是有時候，生氣表示有些事需要改變。
也許就是我。我可能需要休息一下，
或是哭一哭。

也可能需要自己靜一靜。

也許是別人需要改變。

或許他應該對我更好、 更公平一點。

我可能需要別人幫忙，
把事情想清楚。

然後我就能改變自己，
或是告訴別人我的需要。
也可以聽別人說話。
聽和說通常會讓情況好轉。

生氣時，不必一直氣呼呼的。

我可以冷靜一下，

就不會傷害別人，也不會惹麻煩了。

我可以走開。

用力吸氣，

再大口吐出來。

跑步、騎車、玩玩具，

也可以休息或哭一哭。

我可以弄清楚
自己為什麼生氣，
或是請人幫助我。
我可以說出來，
也可以仔細聽。

生氣的時候，

我知道該怎麼做！

When somebody makes fun of me,
I feel angry.

I feel angry when I have to stop a game
at the best part and clean up my room,

or, when we finally can go swimming, it rains.

It makes me mad when I try my hardest
but I can't make my drawing look right.
I just crumple it up and throw it away.

If the teacher says I was talking and
I wasn't, I get angry. It isn't fair!

Anger is a strong, hot feeling.

When I feel angry, I want to say
something mean, or yell, or hit.
But feeling like I want to is not the same
as doing it. Feeling can't hurt anyone
or get me in trouble, but doing can.

When I want to say something mean, or yell, or hit, there are other things I can do.

I can go away from the person I'm angry with. I can take deep breaths and blow the air out, hard, to send the anger out of me.

I can make my anger cooler by running, riding my bike, or doing something I really like to do.

After a while I feel better. I can have a good time again.

Some things that make me angry can't be changed, like when our team loses,

or my favorite thing gets spoiled.

But sometimes when I feel angry, it means something needs to be different. Maybe it's me. Maybe I need to rest or cry. Maybe I need time by myself.

Maybe someone else needs to be different. Maybe someone needs to be nicer to me, or to stop being unfair.

I might need help figuring it all out.

Then I can change what I'm doing.
Or I can tell someone else what I need.
I can listen to the other person tell, too.
Talking and listening usually make things better.

When I feel angry, I don't have to stay angry.
I can cool down so I don't hurt someone
or get into trouble.
I can go away.
I can take deep breaths and blow them out.
I can run, ride my bike, or play with my toys.
I can rest or cry.

I can figure out what made me angry,
or ask someone to help me.
I can talk, and I can listen.

When I feel angry,
I know what to do!

作者介紹

康娜莉雅・史貝蔓（Cornelia Maude Spelman）

康娜莉雅・史貝蔓童書作品豐富，主題環繞著兒童的情緒和社會發展，透過故事，把情緒發展主題和孩子們實際的生活經驗相結合。老師和家長們對她的作品給予這樣的評價：「非常細膩、溫和、撫慰人心，而且充滿同情和同理心。」 康娜莉雅是家庭與兒童專業諮商師，曾任教於研究所，也針對兒童與家庭的心理健康議題做過數百場的演說。她的子女皆已成年，她則與丈夫住在伊利諾州。她不但從事圖畫書創作，還擔任反槍械婦女團體的義工。

幼兒情緒教育，從專業精采的繪本入門！

楊俐容 台灣芯福里情緒教育推廣協會理事長

「孩子不會表達情緒、動不動就大哭大鬧」一直都是幼兒家長和老師最頭痛的問題。事實上，孩子也不喜歡自己哭哭鬧鬧，然而，情緒感受是與生俱來、不需學習的反應，但負向情緒來襲時，要好好表達並且適當調節，卻得透過周遭大人溫暖的理解、有效的安撫以及有計畫的教導，才能慢慢發展出來。

從呱呱墮地那一刻起，孩子的生活就是由一連串的事件，以及這些事件所引發的情緒感受所組成。剛出生的寶寶情緒只能粗略的分為「愉快的」和「不愉快的」兩大類，隨著生活經驗的豐富，情緒也開始分化為更多類別。到了一歲半，寶寶已擁有相當豐富的情緒感受了，而學前階段的幼兒，隨著行動範圍與生活圈的擴大，情緒也越來越多變與複雜。譬如說，心愛的玩具壞了、小朋友不跟他玩，孩子自然會因失落而感到難過；又如，積木城堡一直蓋不好、玩得正開心遊戲時間卻要結束了，孩子又會因為目標受阻而覺得生氣。此外，害怕、擔心、忌妒，以及開心、舒服、得意……等愉快或不愉快的感受，也都是幼兒生活中常見的情緒。

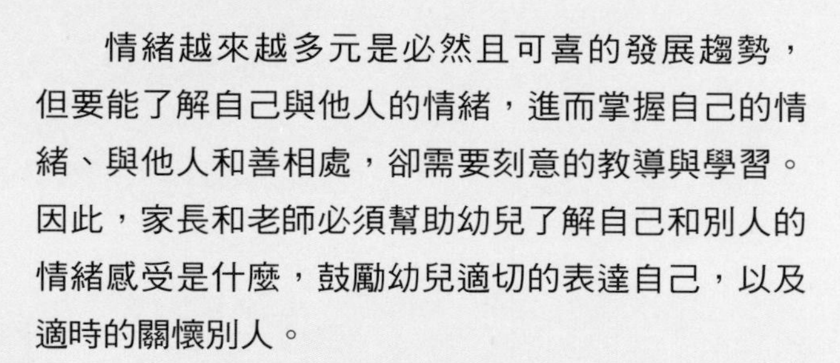

情緒越來越多元是必然且可喜的發展趨勢，但要能了解自己與他人的情緒，進而掌握自己的情緒、與他人和善相處，卻需要刻意的教導與學習。因此，家長和老師必須幫助幼兒了解自己和別人的情緒感受是什麼，鼓勵幼兒適切的表達自己，以及適時的關懷別人。

幼兒階段是開始系統化學習情緒的最佳時期，孩子需要學會與生活經驗、情緒感受互相呼應的詞彙，讓語言跟上情緒的腳步，才能逐漸擁有覺察、辨識與為情緒命名的能力，也才能善用正向情緒、轉化負向情緒，將生活的多采多姿化為成長的養分。

不過，情緒無影無形、難以捉摸與界定，必須藉助具體的生活事件與生動的插畫圖像，以幼兒熟悉的故事模式來幫助他們理解當下的情緒感受與事件的來龍去脈。因此，具有理論基礎並能完整呈現情緒元素的精采繪本，就成為情緒教育的最佳媒介，這也是我要大力推薦「我的感覺」這套幼兒情緒教育入門書的原因。

作者選擇了幼兒生活中最常見的負向情緒：難過、害怕、生氣、嫉妒、擔心做為主題，並以幼兒能夠理解的淺語，說出幼兒不易覺察的情緒元素，包括身體線索、心理感受，以及引發這些情緒的生活事件等。讓幼兒在聆聽書中主角故事的同時產生情緒理解，知道原來別人也會這樣，有這些情緒是很正常的。而反覆出現的情緒詞彙，也讓幼兒逐漸熟悉並能運用這些詞彙來表達自己的情緒；一旦幼兒能夠使用語言來表達情緒，他們就擁有了一項效能強大的工具，可以和別人溝通彼此的情緒。

當幼兒能夠自在接納情緒感受並學會適切表達之後，作者又帶著幼兒與書中主角一起發現心裡有這些感受時，可以用什麼方法來調節情緒，讓自己覺得好受一點，甚至進一步探索解決問題的可能性。從理解情緒、管理情緒到解決問題，完整呈現情緒教育的三大步驟。

除了上述幾個基本的負向情緒，作者另外挑了三個幼兒生活中常見的人際情緒課題，包括處理分離焦慮的《我想念你》、提升自信自尊的《喜歡我自己》，以及促進同理關懷的《我會關心別人》。的確，情緒不只發生在自我之內，也發生在人我之間；自我EQ是基礎，人際EQ則更進一步的促成孩子情緒成熟，讓孩子的人際關係更上層樓，也因此更能享受和其他小朋友一起遊戲學習的校園生活。所有這一切，都為幼兒未來進入小學的適應，奠定了堅實的情緒基礎。

情緒成熟需要時間的醞釀，但沒有耕耘就不會有收穫；「我的感覺」為家長和老師準備了豐富的素材，但要成為孩子的情緒滋養，還需要大人的參與和陪伴。關切幼兒情緒教育的大人，可以善用書中文字的力量、具象的插圖，以及隨書提供的情緒遊戲卡，和孩子一起玩情緒，讓您的幼兒情緒教育，從這套專業精采的繪本入門！

情緒的學習是一生的功課，趁早開始吧！

周育如 清華大學幼教系副教授

在幼兒發展的領域中，情緒發展是個很特別的領域，它雖然也有生理及遺傳的基礎，但較之身體、語言或認知發展，情緒能力隨著年齡與成熟而進展的情況「格外不明顯」，反而受環境與教養的影響非常大。

年幼的孩子如果未經教導，不如意時就發脾氣或揮拳打人是很常見的舉動，但這種情況長大了就會改善嗎？那可不一定，我們隨處可見許多人終其一生都沒有學會好好管理自己的情緒，年紀再大、學歷再高，無法好好處理自己情緒的一樣大有人在！

在台灣的教育中，多少年來，我們對孩子成功的重視遠遠超過對孩子幸福的關切，因此我們很少花時間教孩子怎麼跟自己相處，怎麼跟別人相處。長期下來，不只父母面對孩子的情緒問題時不知如何處理，甚至父母本身也因為沒受過情緒教育，對自己情緒的理解和處理能力也非常有限。結果在親職教育上，我們不只有處理不完的亂發脾氣的孩子，還要安撫及重新教導與孩子相互糾結、挫折又生氣的父母。

在這種情況下，「我的感覺」系列重新改版上市是格外有意義的一件事，這套書已累銷超過50萬冊，見證了父母帶著孩子學習情緒的珍貴歷程。這套書有很多值得推薦之處，包括每個主題都是孩子最常經歷的情緒、內容完整涵蓋了情緒辨識、情緒表達和情緒調節等主要成分，以及文學性、文字的溫暖度與畫面處理兼具等，原本就是很適合父母與孩子分享及討論情緒的上乘之作；除了優質的文本以外，還加上了應用的教案和情緒遊戲卡，顯然有意再多幫父母老師一點忙。

談情緒從共讀開始

在閱讀這套書時，大人剛開始可以如同一般的繪本與孩子進行共讀，先帶著孩子了解內容，看看故事人物是如何辨認、理解與調節自己的情緒；然後，大人可以仿故事結構所提供的情緒內涵，延伸討論孩子自己的經驗，例如共讀《我好難過》時，可以問問孩子有沒有難過的時候？在什麼情況下會難過？難過的感覺為何？以及難過時要怎麼做才會好過一點？ 接著，如果孩子對這些議題很有感觸或願意投入，還可以利用後面的教案和卡片和孩子玩一些情緒理解或敘說的遊戲，藉以增加孩子情緒語彙的質量、並提昇對情緒的敏銳度。

熟悉了這些內容和方法後，大人可以進一步混搭與應用。例如並不需要限於每本繪本的單一主題，而可以和孩子討論，在這些情緒中，他最常出現的是什麼情緒？很少經歷的又是什麼情緒？由於大人很容易把重點放在負面情緒的調節上，但除了教孩子處理負面情緒，許多時候更重要的其實是如何促進孩子正面的情緒，因此較全面的檢視是很有幫助的。此外，大人也可以從孩子平常的行為中去觀察，孩子發展得較好的是哪些方面？還需要再特別學習的是哪些方面？可以針對孩子特別需要補強的部分多一點的討論和練習。例如有的孩子還在學習用口語表達情緒，這時多一點情緒語彙的教導和情緒經驗敘說會很有幫助；有的孩子則是已經很會表達自己的情緒，但說完了卻仍很難接受安慰或自我調節，這時則可以多讓孩子想想情緒調節的方法，並透過角色扮演等方式來練習。

最後，這套書並不只適用於小小孩，而是在不同的年齡層可以有不同的應用。以情緒的調節策略為例，孩子很容易因為和父母分開而感到不安，但分離焦慮「可以被接受的表現」卻因年齡而異，當一個兩歲的孩子有分離焦慮時，我們可以接受並理解他的哭鬧和需要安撫；但如果一個六歲的孩子因為稍微和父母分開就大哭大鬧，可能會讓人難以接受。因此，孩子要學習的不只是自我情緒的覺察和表達，還需要理解社會的規則和期待，書中提供的內容只是例子，我們還可以和不同年齡的孩子討論，或許情緒感受本身都可以被接納，但當你遇到這樣的情況，什麼樣的表達對現在的你來說才是合適的？這種進一步的覺察和學習，對孩子長遠的發展來說將是更為重要的。

情緒的學習是一生的功課，越早開始，我們距離幸福人生就越近了一步。希望這套書成為大人和孩子一同探索情緒世界的美好開端！

衍伸討論

一起面對生氣

洪慧涓 中興大學教師發展研究所副教授

生氣是一種期待落空、願望達成受阻或需求滿足受挫的感受，是人遇到阻礙產生的正常反應。生氣的情緒會讓孩子有發洩的衝動，但這些強烈的情緒常會阻礙理性思考，並以破壞性的方式呈現，卻無益於問題解決。學習如何以合宜的方式表達生氣，而且能被大人理解與接受，才會有能力思考問題解決的方法。如果問題無法解決或改善，覺察自己的情緒，以能被接受的方法宣洩也是一種選擇。敏感準確的辨認孩子生氣的原因、種類與強度，反而能增進親子的信任與連結。

繪本閱讀的延伸討論

和孩子一起讀完這本書之後，可以進行下列的交談與討論：

- 哪張圖的小兔子看起來最生氣？你想她為什麼會那麼生氣？
  你發生過跟她一樣讓你也很生氣的事嗎？是什麼事呢？（如果沒有就問孩子：你印象中最生氣的是什麼事？讓你很生氣的原因是什麼？）
- 你最喜歡哪一張圖？為什麼？你曾發生一樣的情形嗎？
- 小兔子最生氣時，你覺得有多生氣？那時候她的身體有什麼感覺？
  哪個部位最不舒服？哪個部位最有感覺？
- 如果小兔子可以不用管別人的反應，你猜她會做什麼？你做過同樣的事嗎？
  結果如何？

- 我們來算一算，會令小兔子生氣的事有哪些？再來猜看看，為什麼她會那麼生氣？（將孩子表述所有會讓小兔子生氣的事件，複述一遍，再問他還有沒有？並一一詢問、歸納小兔子生氣的原因）。然後問他：「這些事情也會令你生氣嗎？」一一詢問令他生氣的原因。
- 生氣的時候，做什麼事情會讓你比較不生氣？
- 生氣時你會去找誰？那時候你最希望別人怎麼對待你？

◆ 曾經讓你很生氣的事（以剛才他說過的事為例子），如果再發生一次，你還會那麼生氣嗎？如果會，就複述強調那真是一件會令他很生氣的事；如果不會，就強調以前那樣的事會讓他生氣，但現在已經不會了。接著再問他：「你怎樣做到現在可以不生氣了？」再從答案去強化他的想法，或其他成熟等因素對他的影響，以及生氣狀態會改變的現象。

◆如果可以給生氣一個名字，你會叫它什麼？如果可以對你生氣的這個感覺說說話，你會跟它說什麼？

◆你看過爸爸媽媽在什麼時候（或兄弟姊妹、好朋友）發過脾氣？他為什麼發脾氣？你的感覺是什麼？（我們從他的回答了解他同理別人的情緒，以及接納別人情緒的能力。）

親子延伸活動

以下是爸爸媽媽可以在日常生活中與孩子共同從事的活動，協助孩子覺察自己的情緒，並學習以合理與合適的方法表達情緒。

◆ **畫畫遊戲**：引導語：「我們把剛剛說的那件生氣的事、生氣時的感覺，用蠟筆、彩色鉛筆、水彩畫在圖畫紙上。」（然後再用孩子畫的圖形、顏色與筆觸，和他談論、分享他想表達的情緒與強度。）

◆ **生氣角落**：如果世界上有一個角落，生氣時你到那裡去，別人就知道你在生氣，那會是什麼地方？那裡可以怎麼擺設？我們把它布置出來。（在家布置一個生氣角落，讓孩子生氣時使用，也用來提醒並告示家人他正在生氣！）

◆ **出氣安全棒**：引導語：「我們一起來做一個出氣棒。你覺得我們可以用家裡什麼東西做出打人不會痛的安全棒？」（邀請孩子想像可用的材料，一起動手做。）做好後接著說：「我們一起來想一想，生氣時，哪個地方或玩具可以用安全棒打它，而且只能打它，不能打人？你說可以怎麼打？打幾下？」（一起為安全棒訂定使用的規則。）

◆ **倒帶遊戲**：引導語：「這裡有一台錄影機，錄影機可以倒帶。我想邀請你，如果那件事（指某件孩子前面說的令人生氣的事）有機會再重說一遍，你會怎麼說？（甚至示範如何說，邀請孩子再說一遍）我們錄完影再來重看一次。」（可以重複錄影幾次，直到彼此滿意為止，記得不要失去玩的趣味。）

給父母和老師的叮嚀

每個人都有生氣的時候。我們無法避免生氣的情緒，但是可以防止自己生氣的言行傷害別人。「覺得生氣」和「讓生氣的情緒牽著鼻子走」並不同，兩者的區分非常重要。要幫孩子做到這點，並學會在不傷害別人的情形下，控制自己的怒氣，是父母的重要任務之一。

我們需要教導孩子處理不舒服、不愉快情緒的各種方法。本書列出一些控制怒氣的技巧；也許孩子和你會發現其他有效的方法。當孩子能夠成功分辨自己的情緒、懂得如何管理時，讚美或鼓勵會加強他們的舒適感和自信。

不論言教做得多周全，孩子大多還是從大人的身教學習。我們應該知道如何管理自己憤怒的情緒；儘管大多數人對此一無所知。過去我們學到的是表達情緒，哪怕是最負面的感受，都應該一吐為快。然而現在我們知道，若只是發洩，未能減緩或平息怒氣，反而會導致負面情緒上升，甚至言語或行為的暴力。

如果身為大人的我們沒能管理好自己的怒氣，說出傷人的話或做出傷人的事，就應該道歉，並記住下一次要做個好榜樣。如此一來，我們就能言行合一，以不傷害他人的方式解決衝突，世界也會變得更和諧。

── 康娜莉雅・史貝蔓

When I Feel Angry
by Cornelia Maude Spelman and illustrated by Nancy Cote
Text copyright © 2000 by Cornelia Maude Spelman
Illustrations copyright © 2000 by Nacy Cote
Published by arrangement with Albert Whitman & Company
through Bardon-Chinese Media Agency
Complex Chinese translation copyright © 2005
by CommonWealth Education Media and Publishing Co., Ltd.
ALL RIGHTS RESERVED

我的感覺系列 4

我好生氣

作者｜康娜莉雅．史貝蔓　繪者｜南西．寇特　譯者｜蔡忠琦

責任編輯｜劉握瑜　美術設計｜林家蓁　行銷企劃｜高嘉吟

天下雜誌群創辦人｜殷允芃　董事長兼執行長｜何琦瑜
媒體暨產品事業群
總經理｜游玉雪　副總經理｜林彥傑　總編輯｜林欣靜
行銷總監｜林育菁　副總監｜蔡忠琦　版權主任｜何晨瑋、黃微真

出版者｜親子天下股份有限公司
地址｜台北市 104 建國北路一段 96 號 4 樓
電話｜（02）2509-2800　傳真｜（02）2509-2462　網址｜www.parenting.com.tw
讀者服務專線｜（02）2662-0332　週一～週五：09:00~17:30
讀者服務傳真｜（02）2662-6048　客服信箱｜parenting@cw.com.tw

法律顧問｜台英國際商務法律事務所．羅明通律師
製版印刷｜中原造像股份有限公司
總經銷｜大和圖書有限公司　電話：（02）8990-2588

出版日期｜2005 年 9 月第一版第一次印行
2018 年 2 月第三版第一次印行
2024 年 6 月第三版第十二次印行
定價｜260 元　書號｜BKKP0209P　ISBN｜978-957-9095-15-0（精裝）

訂購服務
親子天下 Shopping｜shopping.parenting.com.tw
海外．大量訂購｜parenting@cw.com.tw
書香花園｜台北市建國北路二段 6 巷 11 號　電話（02）2506-1635
劃撥帳號｜50331356 親子天下股份有限公司

立即購買 >